# Brady Brady

## et le gardien disparu

Mary Shaw
Illustrations de Chuck Temple
Texte français de Jocelyne Henri

SCHOLASTIC

Catalogage avant publication de Bibliothèque et Archives Canada

Shaw, Mary, 1965-
[Brady Brady and the runaway goalie. Français]
Brady Brady et le gardien disparu / Mary Shaw ; illustrations
de Chuck Temple ; texte français de Jocelyne Henri.

(Brady Brady)
Traduction de: Brady Brady and the runaway goalie.
ISBN 978-1-4431-6366-8 (couverture souple)

I. Henri, Jocelyne, traducteur II. Titre. III. Titre: Brady
Brady and the runaway goalie. Français

PS8587.H3473B73614 2018 jC813'.6 C2018-900661-7



Édition publiée par les Éditions Scholastic, 604, rue King Ouest, Toronto (Ontario) M5V 1E1 CANADA.

5 4 3 2 1 Imprimé en Malaisie 108 18 19 20 21 22

*À ma sœur, Erin.*
— Mary Shaw

*À ma mère, June,*
*dont les mots d'encouragement*
*et l'attitude positive*
*ont été ma source d'inspiration.*
— Chuck Temple

Brady aime l'hiver. Il aime l'hiver parce qu'il aime le hockey. Il ne pense à rien d'autre qu'au hockey. Il y pense tellement qu'il faut l'appeler deux fois pour attirer son attention. Sa famille est en train de devenir *folle!*

— Brady, Brady! As-tu fait ton lit?

— Brady, Brady! Champion veut sortir.

— Brady, Brady! Tu renverses ton lait!

À la longue, sa famille a fini par l'appeler Brady Brady. C'est plus facile de cette façon.

Brady fait partie d'une équipe appelée les Ricochons. L'aréna où ils jouent est à un coin de rue de chez Brady. Ce n'est pas loin, mais Brady part toujours tôt pour être le premier arrivé.

Un samedi matin, les Ricochons doivent jouer contre une équipe de durs appelée les Dragons. Les Dragons n'ont jamais été vaincus. En se rendant à l'aréna, Brady se sent agité et un peu nerveux.

En entrant, Brady salue Charlie, son ami. Charlie est le gardien de but des Ricochons et le garçon le plus intelligent que Brady connaisse. Il aide souvent Brady à faire ses devoirs de mathématiques.

Avant chaque match, Charlie donne aussi un coup de main au casse-croûte de l'aréna. Il dit que grignoter du maïs soufflé l'empêche de penser aux rondelles lancées vers son filet et le débarrasse de ses papillons dans l'estomac.

Brady remarque que Charlie a l'air plus nerveux aujourd'hui.

— On se revoit dans le vestiaire des joueurs, Charlie, lui dit Brady en passant devant le casse-croûte.

— D'accord, Brady Brady, marmonne Charlie sans regarder son ami.

Avant un match, il y a habituellement beaucoup de bavardages, mais aujourd'hui le vestiaire des Ricochons est presque silencieux. La mauvaise réputation des Dragons inquiète les Ricochons.

Quand tous les joueurs sont habillés,
ils se rassemblent au centre de la pièce pour lancer leur cri de ralliement. Mais
ils ne sont pas aussi bruyants que d'habitude.

**« On est les plus forts,**
**On est les meilleurs,**
**On va les avoir…**

**… Y a quelque chose qui cloche! »**

Ils regardent autour d’eux… et voient l’équipement du gardien en tas. Charlie a disparu!

— Brady Brady! Essaie de le retrouver, dit l'entraîneur.
Brady sort à toute vitesse. Une seconde plus tard, il revient avec une note qu'il a trouvée sur la porte. Il la lit à haute voix.

Chers Ricochons,
Je ne peux pas jouer aujourd'hui. Vous avez besoin d'un vrai gardien... d'un super gardien.
Charlie

— Oh non! grogne l'entraîneur.
Nous ne pouvons pas jouer sans notre gardien!

Des joueurs s'assoient et commencent à délacer leurs patins.

— Attendez! crie Brady. Nous avons un gardien.
Il faut simplement le retrouver.

Ils regardent derrière la machine
à maïs soufflé du casse-croûte.
Pas de Charlie.

Ils regardent sous les gradins.
Il y a de la gomme collée sous les sièges.
Mais pas de Charlie.

Ils regardent partout, même dans les toilettes des filles.
Toujours pas de Charlie.

Enfin, ils regardent dans le garage.
Charlie est là, assis sur la surfaceuse.

— Descends, Charlie. Nous avons besoin de toi, le supplie Brady.
— Je ne peux pas affronter les Dragons, Brady Brady, gémit Charlie. J'ai peur.
— Tu n'as pas à les affronter tout seul, mon gars, lui dit l'entraîneur. Nous sommes les Ricochons. Nous les affronterons en équipe.
— Nous sommes tous un peu nerveux, Charlie, ajoute Brady. Mais tu peux être plus malin que les Dragons n'importe quand.

Les joueurs des Ricochons lancent leur cri de ralliement. Cette fois, ils sont aussi bruyants et aussi fiers que d'habitude.

**« On est les plus forts,**
**On est les meilleurs,**
**Notre gardien s'appelle Charlie,**
**On est ses amis! »**

Charlie descend de la surfaceuse.

Sur la patinoire, les Ricochons s'alignent devant les Dragons. Brady entend Charlie claquer des dents derrière son masque.

L'arbitre fait la mise au jeu et le match commence.
Les Dragons plaquent leurs adversaires et leur donnent des coups de bâton.
Ils jouent comme des brutes, mais les Ricochons n'abandonnent pas.
Toute l'équipe sait qu'elle doit faire de gros efforts pour aider Charlie,
car il a les yeux fermés la plupart du temps.

À la fin de la troisième période, le score est toujours zéro à zéro.
Durant la période supplémentaire, personne ne compte.
Il ne reste alors qu'une solution : *la fusillade!*

Charlie tente de quitter la patinoire, mais ses coéquipiers le ramènent à son filet.

— Allez, Charlie, tu es capable, lui dit Brady en lui donnant une tape dans le dos. Tu peux être le meilleur quand tu veux!

Les Ricochons sont les premiers à tirer,
et c’est Brady qui est choisi. Partant du centre de la glace,
il fonce à toute vitesse vers le gardien adverse,
la rondelle sur la lame de son bâton.
Il entend les encouragements de ses coéquipiers.

Brady tire en direction du filet. *Ping!* La rondelle frappe la barre transversale… et retombe dans le filet!

La foule se déchaîne, sauf les partisans des Dragons, bien entendu.

C’est maintenant au tour des Dragons.
Brady regarde Charlie et lui fait signe que tout va bien.

— Rappelle-toi, Charlie, tu peux être le meilleur quand tu veux!

Le joueur des Dragons commence son attaque.
La sueur coule sur le visage de Charlie, mais il ne ferme pas les yeux.
Il se met plutôt à réfléchir.

— La vitesse de la rondelle… fois l’arc de la rondelle… marmonne-t-il, ce qui signifie… qu’elle devrait arriver… *exactement*…

*Flac!*

La rondelle se loge dans le gant tendu de Charlie.

— *Hourra pour notre gardien!* s'écrient les Ricochons.

Les joueurs sautent par-dessus la bande pour rejoindre Charlie, qui n'a pas encore bougé.

Charlie tient encore la rondelle quand ses coéquipiers le soulèvent sur leurs épaules.

— Je savais que tu y arriverais! dit fièrement Brady à son ami.

Son ami, le super gardien *retrouvé* des Ricochons.